Schauen der Pflanzen und Tiere ist:

ihr Geheimnis fühlen.

Hören des Donners ist:

sein Geheimnis fühlen.

Die Sprache der Formen verstehen heißt:

dem Geheimnis näher sein, leben.

MACKE

Die Tunisreise

Aquarelle und Zeichnungen von August Macke

DuMont Buchverlag Köln

© 1958 Verlag M. DuMont Schauberg, Köln
© 1978 DuMont Buchverlag, Köln
Alle Rechte, einschließlich derjenigen der photomechanischen Vervielfältigung,
der Übersetzung und des auszugsweisen Abdrucks, vorbehalten.
Druck und buchbinderische Verarbeitung: Ernst Uhl, Radolfzell

Printed in Germany   ISBN 3-7701-0328-9

Inhalt

Zeichnungen

Aquarelle

Der Verlag dankt Herrn Dr. Wolfgang Macke, Bonn, für liebenswürdige Unterstützung und Überlassung der Originale von Aquarellen, Zeichnungen und Texten. Ferner dankt der Verlag Herrn Felix Klee, Bern, für die Erlaubnis, Auszüge aus den Tagebüchern von Paul Klee wiedergeben zu dürfen; Herrn Dr. Günter Busch, Museum Bremen, und Herrn Dr. Walter Holzhausen, Museum Bonn, für ihre wertvolle Mitarbeit; Herrn Klaus Gebhard, Wuppertal, Frau Senta Hildebrand, München, Herrn und Frau Kurz, Wolframs-Eschenbach, für die Erlaubnis zur Reproduktion ihrer Aquarelle (S. 47, 51, 79).

1 2

1 *Helles Haus* 20×26 cm Sammlung Dr. Wolfgang Macke, Bonn

2 *Helles Haus* 23,7×21 cm Sammlung A. Breguet, Lausanne

3 Photographie eines Cafés in Sidi-bu-Said Sammlung A. Breguet, Lausanne

4 Aquarell desselben Cafés *(Blick auf eine Moschee)* von August Macke

5 *Marabu. Grab eines mohammedanischen Heiligen* Aquarell von Louis Moilliet

6 *Tochter des Dr. Jaeggi* Kohlezeichnung von August Macke 15,5×10,5 cm
Sammlung A. Breguet, Lausanne

3

4

5

6

August Macke: Gedanken zu Formen der Kunst und des Lebens

Die starke Bewegung unserer Zeit kann auf das Heraufkommen einer Kultur deuten. Einer Kultur, die für uns das ist, was für das Mittelalter die Gotik war. Eine Kultur, in der alles Form hat, Form aus unserem Leben geboren, selbstverständlich wirkend wie der Kopfschmuck einer Frau auf dem Boulevard.

Schaffen von Formen heißt: leben

Nachschaffen von Formen ist Scheinleben.

Sind nicht Kinder Schaffende, die direkt aus dem Geheimnis ihrer Empfindung schöpfen, mehr als der nachäffende Bildner griechischer Form? Sind nicht die Wilden Künstler, die ihre eigene Form haben, stark wie die Form des Donners? Verschiedenheiten der Formen sind Gradunterschiede: Sie sind da, wie der Mensch selbst da ist. Blau ist nicht Gelb, nicht Rot, das Veilchen ist keine Eiche, das Fischerboot kein Dom, der Geigenton kein Donnerschlag. Ein A ist kein B, 1 ist nicht 2.

Formen sind starke Äußerungen starken Lebens. Der Unterschied dieser Äußerungen für uns besteht im Material. Man kann nicht jede Sprache lesen, man kann nicht jede Form verstehen. Die geringschätzige Handbewegung, mit der bis dato Kunstkenner und Künstler alle Kunstformen primitiver Völker ins Gebiet des Ethnologischen oder Kunstgewerblichen verweisen, ist bedenklich.

Ein Cézannesches Stilleben lebt wie die Holzwand, auf der es hängt, ohne Illusion zu sein. Es ist vielmehr die geformte Empfindlichkeit. Heute suchen viele Maler nach der Form für ihre Empfindlichkeit. Eine aktive Lebendigkeit der farbig formalen Spannung aus der Empfindlichkeit heraus zu formen, ohne daß dabei das Motiv ausschlaggebend ist. Deshalb werden heute von vielen Malern, die ähnliche Form suchen, grundverschiedene Motive gewählt, wobei freilich manche in die Gefahr geraten, nun in möglichst phantastischen ihre Stärke zu sehen und das Wichtigste, die Empfindlichkeit für die Spannung in ihrer Form vernachlässigen. Manche geraten, statt die Bewegung im Bilde zu geben, in Gefahr, die Bewegung äußerer Vorgänge zu illustrieren, wie etwa einige Holländer nur die Kirmes illustriert haben. Das führt sie hin und wieder zu guten Bildern. Regen wurde immer futuristisch dargestellt. Die Höhlenmenschen haben die Rentiere schon futuristisch gezeichnet. Deshalb braucht man sich über den Futurismus an sich nicht aufzuregen. Entscheidend ist nur, ob die Futuristen Bewegung innerhalb ihrer Bilder gestalten können oder nicht.

Wissenschaft fragt, warum etwas so ist. Kunst fragt nie warum, sie sagt, es ist so oder so, oder hört Euch doch nur an, wie es ist. Und wie ist es? Ist es schön, ist es lieblich, ist es tragisch? Ist die Welt etwa nur schön, lieblich, tragisch? Nur häßlich, nützlich? Nein, sie ist lebendig.

Vom Kunstwerk nun verlangen wir keine genaue Aufzählung alles dessen, was in der Natur vorhanden ist. Hätte die Kunst die Mittel, alles zu geben, Bäume, Rinden, Vogelzwitschern und Donner, Sonnenschein und Wasser, so hieße das nichts anderes, als die Natur tatsächlich noch einmal zu machen. Wer von der Kunst das verlangt, verlangt etwas erstens Zweckloses, zweitens Unmögliches. Nein, ein Kunstwerk muß gutgelogene Natur sein, eine gut getroffene Auswahl, ein Spiegel der Empfindungen. Und Empfindungen sind insofern immer gelogen, weil sie der sogenannten Wahrheit, den tatsächlichen Ereignissen der Natur schülerhaft anbetend gegenüberstehen, weil wir nie auslernen. Vielleicht aber kommen wir der Wahrheit durch die Lüge, durch die sogenannte Maske, durch das Zeichen, durch unser ganz subjektives Empfinden näher.

Alle Völker haben ihre eigene Art zu empfinden, zu lügen, Kunst zu machen. Die Abwechslung tut wohl. Des einen Art zu lügen, treibt mich zum nächsten. Das ist Leben. Mich langweilen manchmal die Galerien, die Häuser, dann möchte ich Musik, dann wieder schöne Damenhüte, Blumen, Bäume, Tempel, Kirchen, Gedichte, Maschinen, Kanonen, Warenhäuser. Auf einmal sind mir die Galerien, Bilder auch wieder interessant. Wenn man viel Sand gesehen hat, gefällt einem die Blume besonders gut. Aber auch Blumen soll man nicht auf Lager legen.

Die Art zu reagieren, verändert sich je nach der Rasse und Persönlichkeit. Ägypter, Chinesen, Gotiker, Memling, Snyders, Cézanne, Mozart. Der Spießer erklärt vor der schönen Aussicht: »Das ist schön, das ist schön, das ist schön.« Reaktion durch billigste Art überlieferter Ausdrucksform. Die Art der Reaktion ändert sich wie sich der Zustand des Menschen ändert. Es ist heute unmöglich, daß ein Künstler so arbeitet wie in der Renaissance oder wie ein Pompejaner. Wenn man fragt, »wie muß man heute künstlerisch sich ausdrücken«, so kann man das selbstverständlich eigentlich überhaupt nicht beantworten.

Als Reaktion auf die Ereignisse, die uns umgeben, scheint mir die Entstehung eines Kunstwerkes genauso vor sich zu gehen, wie das Öffnen und Schließen der Blumen durch den Sonnenstrahl.

Am-liebsten-Haben ist Unsinn.

Schauen der Pflanzen und Tiere ist: ihr Geheimnis fühlen. Hören des Donners ist: sein Geheimnis fühlen. Die Sprache der Formen verstehen, heißt: dem Geheimnis näher sein, leben.

Über August Macke als Künstler und Mensch

Von Günter Busch

Die hier aufgezeichneten Gedanken über August Macke gehen auf eine Ansprache zurück, die zur Eröffnung einer Macke-Ausstellung im Jahre 1948 gehalten wurde. Die Tatsache, daß Wolfgang Macke, der Sohn des Künstlers, kürzlich daraus einen längeren Abschnitt zitiert hat (August Macke, Aquarelle, mit einem Nachwort von Wolfgang Macke, Piper-Bücherei Nr. 120, München 1958), ermutigt mich, das damals Gesagte heute in etwas überarbeiteter Form der Öffentlichkeit vorzulegen.

Es wird erzählt, daß Richard Wagner eines Abends in einem Münchener Künstlergespräch mit der ihm eigenen Beredsamkeit für die Umkehrung des bekannten Sprichworts vom ernsten Leben und der heitern Kunst eingetreten sei. Heiter müsse das Leben sein – *ernst* aber die *Kunst!* Da habe zu allgemeiner Verwunderung ein bisher Schweigender, ein Maler, das Wort genommen. Entschieden habe er dem Musiker widersprochen: nie und nimmer dürfe man die alte Ordnung verkehren und der Kunst den allein ihr zukommenden Glanz des Heitern absprechen wollen. Der Maler hieß Hans von Marées. – Auf Französisch lautet dieselbe Geschichte so: Als man in einem Pariser Streitgespräch über künstlerische Grundsätze Cézanne gegen Renoir ausspielte, da sagte Edouard Vuillard: »Cézanne – oui, c'est entendu; mais chez Renoir il y a la grâce!« (Cézanne – ja, das ist selbstverständlich; aber bei Renoir, da gibt es »la grâce«!) Und dieses Wort trägt im Französischen doppelte Bedeutung: Grazie und Gnade.

Manchmal will es uns scheinen, als wären unter den Deutschen, den Kunst-Schaffenden wie den Kunst-Aufnehmenden, zu viele »Wagnerianer«, denen dunkle Tiefe und düsterer Ernst als ausschlaggebendes Merkmal wirklicher Kunst gelten; jener Kunst, die sich eben als die einzig »ernste« oder »ernsthafte« von der scheinbar »leichten Muse« unterscheide. Die französische Kunst ist weithin ohne solche Beimischung des »Unauslotbaren« ausgekommen – gewiß nicht auf Kosten ihrer geistigen Größe und geistigen Bedeutsamkeit. Die deutsche Kunst hat nur selten darauf verzichten wollen – nicht immer zu ihrem Vorteil. Wenn dann aber einer gekommen ist, der sich von diesem Vorurteil hat freihalten oder freimachen können – dann ist fast immer etwas Besonderes daraus geworden, mag auch die Gnade seiner Heiterkeit ihm bei uns manchmal den Vorwurf der Leichtfertigkeit eintragen – man denke an den einzigen Mozart. Daß aber für die Heiterkeit sich gerade ein Marées aussprach; der sich doch in seiner Kunst mühte und quälte wie kaum einer, sollte uns nachdenklich stimmen. Zwar könnte man meinen, ihm sei das Heitere in seinem gemalten Werk eigentlich nicht recht gelungen. Die Tatsache aber, daß er's als Ziel und als Aufgabe erkannte, wirft einen erhellenden Schein auf sein gesamtes Schaffen, das in den klassischen Zeichnungen ohnehin jener Forderung durchaus entspricht.

Die moderne deutsche Kunst – zumal der Expressionismus – war eine bewußte Absage an alles Klassische und also auch an Heiterkeit und Grazie. In einer Zeit, die kommendes Unheil heraufdrohen sah, mußten Selbstsicherheit und Maßgefühl, Leichtigkeit und Ordnungsbewußtsein zweifelhafte Werte werden. Marées und seinesgleichen, mehr noch Mozart und seine Welt, schienen unendlich fern. Ein neuer Anfang, ein neues »Ur« waren zu suchen. Echte, unverfälschte Formen wurden bei den Bauern, den Wilden oder den Kindern gefunden, eine ungekannte Lautstärke entdeckt. Zwar gab es einen Paul Klee, dessen Kunst vor dem neu aufgerissenen Grunde des Barbarischen und Primitiven, des Archetypischen und Ängstigenden ironisch und spritzig, zart und sogar leise sein konnte – und alles dieses auf bisher ungeahnte Weise: träumerisch entrückt und bedrückend nahe zugleich. Die Heiterkeit jedoch, die Marées gemeint hatte, war dies nicht. Offenbar war sie der Zeit nicht gemäß.

Und doch hat es einen gegeben, der aus dem Boden seiner rheinisch-westlichen Heimat, aus ihrer leichteren und lichteren Atmosphäre die quellende Fülle lauterer Heiterkeit zu schöpfen wußte und der damit der deutschen Kunstgeschichte in einer ihrer Schicksalsstunden mehr als nur einen ungewohnten Akzent verliehen hat. Er hat ihr vielmehr das Einseitige jener traurigen, seelischen Überfracht, das sie in Haltung und Stimmung zuzeiten besitzt, jedenfalls für die kurzen Jahre seines Schaffens gänzlich genommen: August Macke.

»Mit seinem Tode«, so schrieb Franz Marc, der Freund und Weggenosse, »knickt eine der schönsten und kühnsten Kurven unsrer deutschen künstlerischen Entwicklung jäh ab. Im Kriege sind wir alle gleich. Aber unter tausend Braven trifft eine Kugel einen Unersetzlichen. Mit seinem Tode wird der Kultur eines Volkes eine Hand abgeschlagen, ein Auge blind gemacht. Wie viele und schreckliche Verstümmelungen mag dieser grausame Krieg unsrer zukünftigen Kultur gebracht haben? Wie mancher junge Geist mag gemordet sein, den wir nicht kannten und der unsere Zukunft in sich trug? Und manchen kannten wir gut, ach nur zu gut! – August Macke, der ›junge Macke‹ ist tot.« Dies sind Worte, die wie für 1914 so für später gültig geblieben sind, als ein zweiter Krieg wieder die Hoffnungen einer Generation zunichte machte. Franz Marc fährt ein wenig weiter fort: »Wie viel verdanken wir Maler in Deutschland ihm! Was er nach außen gesät, wird noch Frucht tragen, und wir als seine Freunde wollen sorgen, daß sie nicht heimlich bleibt.« Ist sie vielleicht doch heimlich geblieben, obwohl August Macke heute zu den fest umrissenen und allgemein bekannten Größen des historischen Ablaufs zählt? Denn der dieses Versprechen gab, sollte dem Freunde nur zu bald nachfolgen auf dem dunklen Weg. Und *sein* Werk, das eines theoretischeren und programmatischeren Geistes, rückte alsbald in den Vordergrund der öffentlichen Schätzung – wohl nicht zuletzt auf Grund der großen Verbreitung seiner »Briefe aus dem Feld«.

Macke, der früher Gefallene, war sieben Jahre jünger als Marc. So ist es verständlich, daß man ihn und sein Werk lange mehr oder weniger als im Schatten und Strahlungsbereich des Älteren stehend gesehen hat. Als man dann nach den Jahren der Verfemung beide »wiederentdeckte«, ihre Bilder in Ausstellungen zusammen sah, meinte man häufig, in Macke nur eine mildere und vielleicht liebenswürdigere Spiegelung der ursprünglichen Erfindung Marcs zu erkennen, als habe er fast dasselbe wie jener in leicht gewandelter Klangfarbe zu sagen gehabt, nur weniger konsequent und weniger entschieden. Doch Macke ist von Natur aus ein *anderer* Künstler gewesen – kein »sentimentaler«, was Marc über alle Verschiedenheiten hinweg mit Klee verbindet, sondern ein »naiver«, wenn diese Schillersche Terminologie hier einmal vorsichtig umschreibend benutzt werden darf. Er war ein Augenmensch, dem das sinnliche Erlebnis ohne große Umwege ins Herz fuhr. Darum war er ein reiner Maler, wie ihn die deutsche Kunst im unmittelbaren Sinne des Wortes nur selten kennt. Wiewohl ein spontaner Zeichner von glücklichsten Anlagen, war für ihn die Farbe das eigentliche und ganz selbstverständliche Ausdrucksmittel, das ihm jederzeit ganz zur Verfügung stand, schmiegsam und zart, leichtflüssig und durchscheinend. Seine Bilder sind immer zuerst »gemalt« und erst dann »gedacht«, während die seines Freundes nicht selten groß – und vielleicht größer – »gedacht«, empfunden oder konzipiert sein mögen, aber noch auf dem Wege zur »Realisation« in reine Malerei stehengeblieben sein können. Mehr noch wird dies deutlich, wenn man die übrigen Zeitgenossen des Brücke-Kreises oder des Blauen Reiters zum Vergleich heranzieht. Was ein Max Beckmann in Jahren unablässigen Ringens sich stufenweise erst erobern mußte, bis ihm endlich klar wurde, daß Malerei vor allem auch einen Akt der Verwandlung des Rohstoffs »Farbe« in eine immaterielle, neue Substanz des Geistigen bedeutet; dieses unbewußte Wissen war Macke durch ein gütiges Geschick von Beginn an mitgegeben. Schon seine ersten Malereien, problemlose und zum Teil sogar formlose Versuche eines Anfängers, besitzen diesen selbstverständlichen Zauber der »richtigen«, ungequälten Farbe. Ohne sich darüber Rechenschaft zu geben, verschmilzt er die Flecken und Flächen des Pinselwerks zu innigem Miteinander und Ineinander, so daß es wie leises Händereichen über die ganze

Bildebene geht. Man kann dieses seltene Phänomen der wirklich *gemalten* Farbe, das sich gewiß *nur* über das Auge begreifen und *nie* ganz mit dem Wort fassen läßt, noch von einem anderen Aspekt aus betrachten und kommt damit dem Rätselhaften einer solchen künstlerischen »Begnadung« vielleicht um einen Schritt näher. Wir haben das Gefühl, als sei ein Stück Malerei von August Macke gleichsam von *Eros* durchleuchtet und durchwärmt, indessen gewisse viel grellere und scheinbar farbigere expressionistische Malereien ihm gegenüber seltsam kalt erscheinen können. Gewiß ist in ihnen nicht selten die Urmacht der Triebe in einen wahren Farbenrausch entbunden (Nolde, Kirchner, Jawlensky), spricht aus ihren Werken die Ursymbolik der Farben. Daß Farbe aber von der Liebe zum Singen und Klingen gebracht werden kann: silbern und mozartisch, wie von einer Zaubergerte angerührt, empfinden wir vor kaum einem der neueren deutschen Maler so wie vor ihm.

Damit hängt ein anderes aufs engste zusammen. Zwar sieht man mit Recht die entwicklungsgeschichtliche Rolle Mackes darin, daß er so etwas wie eine zwangslose Synthese zwischen den gereinigten Farbwerten der Fauves um Matisse und den kubistischen Formen eines Delaunay gefunden habe. Zu seinem »absoluten Gehör« in den Dingen der Farbe war ihm ja auf ähnlich ursprüngliche Weise die Gabe des Baumeisterlichen verliehen, das Gefühl für Spannung und Harmonie, für Maßverhältnisse, Struktur und Gleichgewicht. Von welchem deutschen Maler unseres Jahrhunderts läßt sich das ganz ohne Einschränkung ebenso sagen? Rüttelt doch bei den anderen häufig die barbarische Übergewalt des Ausdrucks oder sogar des Aufschreis an den tragenden Elementen des Bildbaus. Auch wenn es bei ihm scheinbar absichtslos blüht, verliert er sich nie in ein Wuchern der Phantasie oder der Form, verirrt sich nie im Exzeß. Das Vegetative, aber niemals unbewußt Dumpfe seiner Farbe wird immer wieder gehalten durch ein straffes, doch nicht doktrinäres Gerüst von tragenden Bauelementen, die auch aus dem Leichten und scheinbar Flüchtigen ein in sich Ruhendes, ein Ganzes machen.

Solche *formalen* Fähigkeiten, die überdies gewisse sich scheinbar ausschließende Gegensätzlichkeiten spielend bewältigen und ohne Bruch vereinen: Farbe *und* Form, ohne daß diese sich je gegenseitig beeinträchtigten, sollten jedoch *nicht überschätzt* werden. Über ihnen steht strahlend und bezwingend eine Eigenschaft, die wiederum nur durch vorsichtige Umschreibung aufgerufen werden kann, und von der mit dem Worte der »erotischen« Farbe schon etwas angerührt worden ist. Macke ist *als Künstler* von einer für seine und unsere Zeit seltenen *Menschlichkeit*. Wenn man diesen schillernden Begriff, der ja vieles bedeuten kann, recht versteht, so ist darin das Kindhafte, Ungebrochene und Unverfälschte der geraden, künstlerischen Aussage enthalten, das aber keinesfalls mit der echten oder der gesuchten Primitivität seiner Vorgänger, Zeitgenossen und Nachfolger verwechselt werden sollte. Macke ist immer ein »*Zivilisierter*« – kein Wilder; für ihn ist – wie für einen Degas – in der Kunst immer auch das »Künstliche« selbstverständlich mit anwesend, das eben den Menschen vor den anderen Geschöpfen auszeichnet. So spontan seine Kunst – etwa gerade in den Aquarellen – auch sein kann, immer hat sie vorher die Filter des Bewußtseins passiert, um erst in solchermaßen »vermenschlichter«, »zivilisierter« Gestalt ans Licht des Tages zu treten. Daß Franz Marc in seinem Werk nur das Tier als die reinere Kreatur hat gelten lassen wollen, um von dort aus zu den noch reineren Offenbarungen der »Natur« im Ungegenständlichen zu gelangen, wird er kaum haben verstehen oder gar nachvollziehen können. Darum bleibt seine Bildwelt auch immer im Bereiche des Menschlichen; er sucht die menschliche Gestalt oder den Abdruck, den der Mensch der Natur aufgeprägt hat. Nicht zufällig liebt er die zoologischen Gärten mit ihrer seltsamen Zwitterwelt des künstlich Natürlichen. Die wilden Tiere hinter eisernen Gittern mußten für Marc etwas Quälendes haben. Macke konnte davon abstrahieren und sich an ihren bunten Farben und Formen ungehemmt freuen, wie er sich am Zirkus und am Ballett freute. Darum erscheinen auch immer wieder modisch gekleidete Damen und Herren — mit Melonenhüten! - in den künstlichen, von Menschen zurechtgestutzten Landschaften der Parks und Gärten, blicken Frauen und Kinder in spiegelnde Schaufensterscheiben, ist in diesen Bildern unter anderem auch auf authentische Weise das Erscheinungsbild jener künstlichen und brüchigen Friedenswelt vor dem ersten Kriege gespiegelt und ins Dauernde gehoben.

Als er am 7. April 1914 nach Tunis und dann nach Kairuan kam, da war *seine* Begegnung mit dem Morgenländischen etwas anderes als die seiner mitreisenden Freunde Klee und Moilliet. Diese entdeckten etwas Neues, das sich erst schrittweise und z. T. sehr viel später in ihrem Schaffen entfalten sollte. Macke fühlt sich in seinem künstlerischen Wollen nur bekräftigt. Für ihn ist der Orient keine skurrile Märchen- oder Barbarenwelt. Ähnlich wie Delacroix unter dem Lichte der Wüste seine Farbtheorie bestätigt fand, die sich ihm schon vorher von Constable und vom Handwerk her von selbst erschlossen hatte, so erkannte Macke vor den urtümlichen Bauwerken des Landes unter der südlichen Sonne »seine« Bildform wieder, die sich ihm von Delaunay her ebenfalls von selbst erschlossen hatte: die »plans colorés« – die farbigen Pläne, die über die Gegenstandsformen und -farben hinaus als konstituierende Elemente die Struktur eines Bildes bestimmen. Delacroix sah in der Welt der Nordafrikaner eine lebendige Antike – »lauter Catos und Brutusse« – und ähnlich fand Macke hier seine ureuropäische, zivilisierte Kunst- und Menschenwelt wieder: ein buntes Ensemble von Veranden und Markisen, Basarsegeln und Moscheekuppeln, dazu Maultiere, Kamele und braune Menschen – das ganze Szenarium und die ganze Statisterie seiner Zoo-Ballett-Inszenierungen von zu Hause – nun aber gesteigert und verklärt zu zauberhaft leichtem Farbenspiel. Daraus entstanden seine berühmten Tunisaquarelle. Seine Augenerlebnisse damals müssen etwas von dem Phänomen des »déja vu« besessen haben, das sich auch für den späteren, fremden Beschauer noch nicht völlig verflüchtigt hat. So selbstverständlich und unmittelbar bezwingend sind diese Blätter, so »vertraut« blicken sie uns an. Darum sei hier mit Nachdruck eines angemerkt: ihnen fehlt jedes Arom des Ethnographischen oder Folkloristischen, jeder überraschende Pseudoeffekt einer Pseudomalerei, aus fremden »südlichen Breiten« oder »fernen Zonen«. Sie sind durchaus unillustrativ, welche Eigenschaft sogar die Aquarelle und Bilder Klees auf hoher Stufe besitzen können. In ihrer strahlenden Kraft und gebändigten Fülle stellen sie – bei bescheidenen Formaten – als Aquarelle und als ganze Bilder einen Gipfel in der modernen europäischen Malerei dar. Zart und gespannt, prall gefüllt mit geschautem Leben und erregendem Ausdruck, wie sie immer sein mögen, wird in ihnen dennoch leise gesprochen. Mag dem Künstler der malerische Einfall, die leicht fließende Erfindung in Thematik und Durchführung noch so rasch zuströmen und von der Hand gehen – wie viele Blätter sind in wenigen Tagen damals entstanden! –, er gleitet nicht ab ins Grobe oder Summarische. Und auch das Dekorative, das in schönstem Sinne Schmückende, wird ihm nie zum Selbstzweck, wie dies bei Matisse oder Dufy der Fall sein kann. Er spielt nicht nur, er macht auch immer Musik. Das verbindet seine Kunst über·alle wesentlichen Unterschiede hinweg mit dem ähnlich »musikalischen« und ebenso blühenden Schaffen eines Renoir oder eines Bonnard. Wie bei diesen ist unverwelkliche Frische ein Merkmal des gesamten Werks. Er ist der »junge Macke« geblieben, als der er dem Freunde vor Augen stand, bis an sein frühes Ende, und wir wagen zu sagen, er wäre es auch geblieben, wenn ihm ein längeres Leben und Arbeiten vergönnt gewesen wären. »Bei mir ist Arbeiten ein Durchfreuen der Natur«, schreibt er – ein Wort, das den heiteren Künstler wie den liebenswerten Menschen gleichermaßen kennzeichnet.

Es erhebt sich die unabweisbare Frage, was denn ein solcher Mann und eine solche Kunst für unsere Zeit bedeuten können. Das, was der modernen Kunst mit ihrer fragenden, zweifelnden bis anklagenden Note – jedenfalls in weiten Bezirken – erst post festum ihre unbezweifelbare Rechtfertigung verlieh, was diese Kunst vorausspürte, Grauen und Wahnsinn zweier Kriege und ihre tragischen Folgen – das alles hat er ja nicht mehr miterlebt. Er starb, ehe noch die dunkeln Ahnungen der anderen wirklich wurden. Er lebte und starb noch ganz im optimistischen Fortschrittsglauben seiner Jahre befangen, mögen auch wenige seiner späten Werke die Nachtseite der Welt leise anklingen lassen. Ist sein Werk nicht vielleicht auch nur der Ausdruck eines frommen Wahns von »Schönheit« und »Glück«, dessen trügerische Schleier für uns längst zerrissen sind? Müssen uns sein früher Glanz und sein heller Jugendschimmer nicht heute eher spät und alt erscheinen – künstlerischer Niederschlag einer »Weltanschauung«, die sich auf eine schlechte Philosophie gründete? Müssen uns diese verführerisch schönen Bilder nicht mit Zweifel und Argwohn erfüllen, ob sie nicht nur scheinbare Spiegelung einer falschen Wahrheit sein könnten, da wir erfahren haben, welche Abgründe sich dahinter schon damals auftaten? Ist er nicht vielleicht ein Zuspätgekommener, der das bestrickende Kunstspiel der Impressionisten nur weiterspielt zu unrechter Stunde? Sind die veränderten Spielregeln, nach denen er vorgeht, nicht vielleicht sogar *noch* spielerischer, *noch* artistischer geworden als die, nach denen die Generation vor ihm lebte? Ist die Besinnung auf sein Werk und seine Gestalt nicht ein wenig Flucht vor der Gegenwart?

So zu fragen, heißt die Kunst von ihrer »ersten Bedeutung« her verstehen wollen, wo ihre *wesentliche* Kunde immer nur aus dem »Dahinter« erahnt oder begriffen werden kann. Daß die Form, die er mitgeprägt hat, die »kubistische Spielregel«, zukunftsträchtig war, wissen wir inzwischen, nachdem bis auf den heutigen Tag in aller Welt nach ihr und ihren abstrakten Ableitungen verfahren wird. Daß diese Form sich auf Cézanne gründet, ist bekannt. Daß August Macke dabei einer der wenigen war, die den Meister von Aix in seinem *eigentlichen* Wollen verstanden haben, wird häufig übersehen. Wenn Cézanne sagte, was man heute nicht gerne hört, daß »der Künstler weder zu gewissenhaft noch zu sehr der Natur untertan« sein könne, so hat Macke diese Überzeugung in seinem Schaffen durch die künstlerische Tat erwiesen. Und wenn derselbe Cézanne »aus dem Impressionismus etwas machen wollte: solide und durabel wie die Kunst der Museen«, wenn er »Poussin auf Grund der Natur erneuern« wollte, so gehört Macke zu den nicht vielen Hellsichtigen, welche die Zukunft der Kunst in solcher Verschmelzung des Überlieferten mit dem Neu-Gesehenen erkannt haben. Und damit sind wir bei dem »Dahinter«. Cézannes Malerei mit ihrer seherischen »Modulation« der Töne ist immer mehr als nur »gute Malerei« oder »schöne Farbe«, sie offenbart etwas vom *geheimsten Wesen* der Natur und ihrer Erscheinungen, vom Kern der Dinge im unermüdlichen und unbestechlichen Anschauen. Macke geht seinen Bildgegenstand auf ähnlich aufrichtige, behutsame und bescheidene Weise an. Auch er gräbt in die Tiefe, tiefer als die »Unauslotbaren«, und fördert nicht Lava oder Magma aus Urgründen, sondern hebt leuchtende Kristalle ans helle Licht, etwas von der innersten Ordnung der Natur — nicht eine künstliche Strukturierung, die eine im historischen Sinne »manieristische« Moderne den Dingen aufzuzwingen wußte als eine von außen »auferlegte« Form. Um zu unserem Ausgangspunkt zurückzukehren: Hier ist es wieder das »Musikalische«, das »Mozartische«, ist die tiefe Heiterkeit der Kunst, die dieser begnadete Künstler nicht nur als Morgengabe der Musen mit auf seinen kurzen Lebensweg bekam, die er sich vielmehr in doppelt ernstem Bemühen als neuen Besitz erst erwerben mußte. »Die Natur muß in uns neu entstehen, wir erfahren sie neu von Kind an. Das Kunstwerk ist unsere Erfahrung, unser Staunen vom Maß der Dinge«, so schreibt er 1913. Dieses »Staunen vom Maß der Dinge« hat er sich neu erworben durch sein Werk und hat es in seinem Werk Gesang werden lassen. Wir sollten glücklich sein und dankbar, in unserer Welt, darin auf vielen Gebieten nur mehr geschrieen, gepaukt und trompetet wird, einen zu besitzen, der noch singen kann; dessen Lied leise und eindringlich durch unser Heute und Morgen tönt als eine so ernste wie tröstliche Mahnung, daß Kunst eine andere und bessere Welt zu sein habe als unser Diesseits, eine Welt des »Schönen« in neuem Verstande, die als solche ihre moralische Aufgabe auch heute noch habe! Möchte die sanfte Gewalt dieser Bilder und Blätter in immer mehr Augen und Herzen ihren beglückenden und läuternden Schein werfen. Und möchte für die deutsche Malerei sich einer finden, der die Melodie dort wieder aufnimmt, wo sie durch den gewaltsamen Tod des Malers August **Macke** unterbrochen wurde.

Die Tunisreise. Erinnerung und Geschichte

Von Walter Holzhausen

Die Reise der drei Maler Macke, Klee und Moilliet nach Tunis 1914 war eine Sternstunde der Menschheit. Wie ließe sich das Beglückende und Entscheidungsvolle der Unternehmung anders als in unzulänglicher Vereinfachung mitteilen? Allen war die Einmaligkeit des Geschehens, ja, seine Bedeutung bewußt. Jedem verschieden, Macke gab der europäischen Kunst der sichtbaren Welt augenblicklich den feinsten Ausdruck durch Vollendung in der leuchtenden Durchsicht des Aquarells. Klee erkannte sich endgültig als Maler. Für Moilliet eröffnete sich eine geahnte, bis dahin verschlossene Freiheit.

Alle drei vom Dämon des Genialen angerührt. Es ergab Spannungen und Verschränkungen. Sie ließen die afrikanische Luft zwischen dem Einsichtigen und dem Humorigen erzittern.

Die Aufzeichnungen nach Unterhaltungen mit Moilliet, Frau Jaeggi und Frau Elisabeth Macke ziehen ihre Lebenskraft aus einer Mischung von Sicherheit, Beweis und Irrtum. Mit der Zeit haben sich Vorstellungen und Erinnerungen gebildet. Es haben sich sogar Bilder von Anfang an verschoben, so daß von zwei Partnern, die dasselbe erlebten, verschiedene, ja widersprüchliche Versionen vorgebracht wurden. Die Wahrheit ist aus der kontrollierten Improvisation der Erinnerung zu gewinnen. Sie erlaubt stets neue Kombinationen und bildet sich schließlich im Leser.

Die Aufreihung der Improvisationen ergibt eine Anreicherung, nicht zuletzt eine Korrektur des bisher Gewußten. ›Dasselbe‹, von mehreren berichtet, bringt mit dem stärker angeleuchteten Sachverhalt Erhellung des Geschehenen.

Jede Annäherung an den Kern der Dinge, sei sie noch so untadelig, zeitigt neue Illusion.

In den Erinnerungen mischt sich das kleine Ereignis des Alltags mit dem Entscheidenden, das allzu Menschliche mit dem Zeitlosen. Hier geht es um die Beschwörung der damaligen Vorgänge aus jedem Stein des großen Mosaiks.

Leben und Zeugnis

Moilliet   *Vevey. La Tour de Peilz, 25. 7. 58*

In Moilliets Erinnerung steht immer noch die Natur Mackes im Vordergrund. Aus dem Naturell seines rheinisch-westfälischen Temperamentes stets zu Spaß und fröhlichem Spott aufgelegt, machte er sich über Klee in Tunis lustig. Klee glaubte, »das Seelenheil der beiden anderen bewahren« zu müssen. In seinem Tagebuch läßt er sich darüber aus. Aber es gab nichts zu bewahren, weder bei Macke noch bei Moilliet. Macke lebte ganz als Augenmensch. Das führte ihn zu jenen Schönen des Araberviertels, die dem schaulustigen Macke die köstlichsten Aquarelle und Zeichnungen eintrugen. Die Besuche waren von einem Polizisten eskortiert. Macke konnte Bemerkungen nicht unterdrücken - und Klee mochte es verdrießen.

Bei Gelegenheit brachte Macke Photos von Schönheiten mit, die er bei einem italienischen Photoverkäufer erstanden hatte, als man abends beim Hauptmann Lecoq im Kreise französischer Offiziere eingeladen war. Das Gespräch kreiste um den Krieg, man war liebenswürdig und chevaleresk. Übrigens war Lecoq bei den Arabern sehr beliebt, da er ihre Ansprüche gegen die Regierung in Paris vertrat.

Wir sind mitten in Episoden, die auch in Klees Tagebuch ausführlich und scharf beobachtet werden. Nach Moilliets Worten schrieb Klee sein Tagebuch mit dem Anspruch eines Schriftstellers und jedenfalls wie jemand, der auch im Schreiben seinen Stil sucht. So mochte manches gesteigert ausfallen. Seiner Geistigkeit gegenüber setzte sich Mackes Vollnatur – »ein wunderbarer Mensch« – ab. Das Wesen Mackes betrachtete alles im Leben als göttliches Spiel. Er bildete auch in einem sehr reinen Stil, einem mozartischen Stil. So zauberte er in wenigen Minuten eine bewundernswert klare Umrißzeichnung mit einem Motiv aus Tunis bei Moilliets Mutter in Bern zum Sticken auf ein Stück Stoff. Ihr Gästebuch, noch bei Moilliet erhalten, birgt köstliche, humorvolle Zeichnungen Mackes. Moilliet verdankte Macke nicht erst seit Tunis viele Energien zum Malen: »Vorher malte ich wie man zum Fenster hinaussieht«.

Klee trennte sich in Tunis von den beiden anderen. Er sah, daß auch sie Eigenes fanden. So erscheint es dem, der es miterlebte. Eine gewisse Selbstherrlichkeit, alle Umstände besonders auf sich zu beziehen, mochte mitsprechen. Denn schon in der Schule, die er mit Moilliet besuchte, war der Hochbegabte und an sich schon Überlegene stets darauf bedacht, sich ins rechte Licht zu setzen. Er besaß eine Witterung für das Wesentliche aus großer Überlegenheit und den Drang, Bestehendes als überaltert zu zerstören. Er sammelte Kinderzeichnungen, indem er die Zukunft darin ahnte und – fand.

Macke, dessen Freiheitsgefühl jeden leisen Anflug von Hybris unweigerlich mit Humor parierte, das Doktrinäre in Kandinsky schon früher durch köstliche Karikatur persifliert hatte, erfand zu Klees zweifelhaftem Behagen den Ausdruck »Plätzlimalerei« für die »Vierecke« kubistischer Observanz, mit denen sie alle drei der Theorie der reinen Farbe und der Grundform huldigten. Macke wandte sie in dem Blatt ›Helles Haus‹ (Abb. 1) gewiß mit höchstem Nutzen an. Er erreichte damit über ein Vorstadium die lauterste Kristallisation seines Aquarells. Aber sein Ingenium hielt erfrischenden Abstand von jedem Zwang des Gedankens. Eben hierin lag ein spezifischer Zug seines schöpferischen Wesens rheinischer Prägung. Wie Moilliet sagte: er arbeitete mit rastloser Geistigkeit und setzte sich ununterbrochen mit Problemen auseinander, die er sofort zugunsten neuer fallen ließ, wenn sie für ihn erledigt waren.

Zu der geistigen Intensität stand das äußere Gehaben des westfälischen Riesen im Widerspruch, sein physisches Phlegma. Es veranlaßte seine Frau zu Ausrufen, August sei faul – was das noch im Alter werden solle! Auf dem Photo von der Überfahrt nach Tunis bei Frau Jaeggi steht er wie ein wandelnder Turm. Wenn Macke etwa in Tunis noch auf rheinisch zum besten gab, er könne nur »Lurm« sagen, zu »Wurm« sei er »zo möd«, war die Täuschung der Außenwelt vollendet.

In Tunis tauchte man mit allen Sinnen in die Welt des Islam unter. Überhaupt die arabische Formenwelt! Sie hat Macke zu Kompositionen gebracht, in denen er die islamische Abstraktion mit seinen europäischen Gedanken aufs glücklichste zum Stil kostbarer Augenblicke vereinte. Moilliet nannte die Improvisationen jetzt auch treffend »Phantasien«. Es geht um Blätter wie den ›Händler mit Krügen‹, der für eine ersichtliche Gruppe steht (S. 40, 48, 50). Aber Moilliet konnte keine konkreten Anlässe im einzelnen mitteilen. Doch besitzt er noch aquarellierte Zeichnungen, wie alle drei sie in einem abgelegenen Araberdorf kauften. Die Umsetzung der Folklore in die eigene schöpferische Arbeit ist bei Macke deutlich zu fassen. Sie bleibt bei ihm aber in architektonischen und wenigen landschaftlichen Formen äußerlich monumentaler als bei Klee, der sie ganz im Sinne vergeistigter Jenseitigkeit, seiner eigenen skurrilen Transzendenz verarbeitete.

Das Episodische mündete schließlich in das Konkrete des künstlerischen Geschehens. Moilliet machte z. T. sehr genaue Angaben zu den folgenden Aquarellen seines Freundes Macke, wobei sie in ihrer bisherigen Bezeichnung aufgeführt werden:

S. 27 *Innenhof des Landhauses in St. Germain:* es ist sicher nicht Dr. Jaeggis Haus, sondern wahrscheinlich ein arabisches Café.

S. 35 *Felsige Landschaft:* sie zeigt ein charakteristisches Paar Pylonen, wie Moilliet sie auch aquarelliert hat (Abb. 5). Sie bilden wohl den Eingang zur Einfriedigung eines Marabu-Grabes. Solche gab es allenthalben, auch bei Sidi-bu-Said. Die Gräber der arabischen Heiligen wurden auf der Stelle errichtet, wo jeweils der Verehrungswürdige sein Leben beschloß. Auf Mackes ›Afrikanischer Landschaft‹ von 1914 bilden sie das Thema der Komposition.

S. 39 *Markt in Tunis:* es handelt sich ohne Zweifel um das dortige Araberviertel.

S. 43 *Landschaft bei Hammamet:* es ist wahrscheinlich der Hafen von Tunis.

S. 51 *St. Germain bei Tunis:* Es ist in der Tat jene Gegend mit dem Nachbarhaus von Dr. Jaeggi. Der souverän gebauten Fassung von Macke steht die geistig vortastende von Klee gegenüber. Sie ist heute in der F. C. Schang Coll., New York.

S. 55 *Händler mit Krügen:* das Aquarell ist vielleicht ein Entwurf für eine Stickerei. Die Ornamentstreifen mit den stilisierten Kamelen auf den Krügen haben übrigens auch Matisse auf Stilleben interessiert.

S. 59 *Terrasse des Landhauses in St. Germain:* es ist ein arabisches Café in La Marsa. Moilliet entsinnt sich genau, daß es damals, als noch zu früh im Jahr, geschlossen war.

S. 67 *Kairuan III:* es ist zweifelsfrei die Landschaft mit der altertümlichen Stadt. Das Aquarell zeigt rechts eine figürliche Abspaltung als dünnen raumbildenden Streifen. Macke suchte offenbar nach dem Ausdruck der Simultaneität von Landschaftsweite und Personenbereich. Auf einem Ölbild, das seinen Ursprung in Tunis hat, verfährt er ähnlich, nur umgekehrt. Die Figur des rassigen Arabers ist vordergründig, hart neben ihr ein entrücktes Stück Welt. Dieser Gestaltungstrick fasziniert, er regt die Phantasie in ungeahnter Weise an. Rechts erscheint im Bild als Motiv die Tür mit dem Rundbogen, darüber das gestreifte Dach wie auf dem ›Arabischen Café‹ in Bonn. Macke malte das Bild des Arabers auf seiner Rückreise nach Bonn im Badischen; Frau Macke schenkte es später Moilliet.

S. 71 *In der Tempelhalle:* es handelt sich vielleicht um die große Moschee auf der Place Halfouin in Tunis. Klee hat da öfter gezeichnet.

S. 87 *Helles Haus:* es ist ein europäisches Haus in St. Germain. Von Macke gibt es zwei Fassungen, die eine im Besitz des Herrn A. Breguet, Lausanne, die andere im Nachlaß in Bonn, von Moilliet eine ähnliche (bezeichnet ›Sitges 1920‹).
Moilliet malte in Tunis wenig.

Frau Jaeggi *Lausanne,* 26. 7. 58

Klee und Moilliet wohnten bei Dr. Jaeggi in St. Germain. Macke verfügte durch seinen Freund, den Sammler Köhler, über mehr Mittel und logierte im Hôtel de France.
»Dr. Jaeggi war ein sehr feiner Mensch«, hatte Moilliet gesagt. Er gehörte in die Reihe der äskulapischen Helfer der Menschheit. In seiner freundwilligen Unvoreingenommenheit und Hilfsbereitschaft den Künstlern gegenüber erinnert er ein wenig an Dr. Gachet, den Arztfreund van Goghs in Auvers. Als Chirurg und Geburtshelfer von anerkannter Bedeutung und wegen seiner sozialen Gesinnung allgemein beliebt, hieß er in Tunis allenthalben »Vater Jaeggi«. Er starb 1941, bis zuletzt praktizierend, in Lausanne.
Klee hat in Tunis »Vater Jaeggi« eine Zeichnung gewidmet. Sie hatte Naturnähe und trägt deshalb Klees

Bezeichnung »Wie es Vater Jaeggi gefällt«. Macke schenkte ihm das köstliche Aquarell (Abb. 2), eine erste Fassung zum ›Hellen Haus‹ und einige Zeichnungen, darunter das bezaubernde Bildnis seines Töchterchens (Abb. 6). Das Aquarell befindet sich noch im Besitz der Familie Breguet in Lausanne (Herr Breguet ist der Schwiegersohn von Dr. Jaeggi); es wurde erst jetzt als Aquarell aus Tunis bekannt.

In Dr. Jaeggis Haus in St. Germain malten Macke und Klee ein Zimmer aus. Auf einer Wand in der Größe von etwa 3 × 3 Metern malte Macke in die Mitte zwei Körbe Orangen, dahinter einen kleinen schwarzen Esel und auf beide Seiten zwei Araber mit roten Fessen. Klee malte in beiden Kaminecken konstruktiv einen Araber und eine Araberin in Wasserfarben. Man hatte vorher gemeinsam mit dem arabischen Diener Dr. Jaeggis, Achmed, Ostereier gefärbt. Die von ihm bemalten hatten Macke und Klee begeistert mitgenommen, ehe sie sich an die Wand machten. Offenbar wollten sie sich für die Wandmalerei von Achmeds arabischer Anschauung führen lassen.

Frau Jaeggi besitzt noch mehrere Photos aus jenen Tagen. Danach identifiziert sich

Blick auf eine Moschee (Abb. 4): es ist keine Moschee, sondern ein arabisches Café in Sidi-bu-Said. Ein Photo (Abb. 3) trägt rückseitig die Notiz »Auf Sidi bou Said am 29. März 1908«. Den rechten Flügel des Hauses mit dem Dächlein und dem armseligen Baum davor hat Macke gezeichnet, wenn wir richtig sehen, und nach den Skizzen in den verschiedenen Fassungen des ›Café in Tunis‹ später gemalt. Ein weiter Weg von der Naturform bis zu den rein auskristallisierten letzten Gestaltungen.

Hafenbild: das Aquarell ist richtig gedeutet als Abfahrt bei Antritt der Rückreise. Das Photo des Dampfers auf der Linie Marseille–Tunis bei Frau Jaeggi zeigt ihn mit zwei Schloten, Kommandobrücke und Kartenhaus sind nicht darauf zu sehen. Der Dampfer auf ›Hafenbild‹ hat nur einen Schlot, Kommandobrücke und Kartenhaus in ganzer Breite.

Frau Elisabeth Macke *Bonn, 16. 7. 58*

In Mackes Atelier in der Bornheimer Straße sind Raum und Zeit seit damals stehengeblieben. Seine Welt hat dort noch die Strahlung ihrer Atmosphäre angesichts des »paradiesischen« Wandbildes, das er 1911 zusammen mit Marc gemalt hatte, und der Möbel.

Die ›Tunisaquarelle‹ – so hat sich der Begriff kurzweg für Mackes Aquarelle aus Tunis eingebürgert – hat Frau Elisabeth nach dem Tode Mackes »von Anbeginn« zusammengehalten. Nur ein paar wurden Geheimrat Justi für die Nationalgalerie in Berlin gestiftet. Es waren sechs. Man hatte die Reihe der Aquarelle aus Tunis in der Nationalgalerie als Ausstellung gezeigt, und Adolf Behne hatte eine Rede zur Eröffnung gehalten. Er tat es mit so viel Verständnis, daß sich die Schenkung daraufhin anbahnte.

Aus Tunis hatte Macke nur einen oder zwei Briefe geschrieben. Als er braungebrannt zurückkehrte, erklärte er, nie mehr werde er ohne Frau Elisabeth reisen, denn zu schön wäre es, sich mitzuteilen. Die drei Maler hatten die Reise allein unternommen, da sie mit den Frauen zu anspruchsvoll erschienen war, und Frau Macke und Frau Moilliet Tunis schon von früheren Aufenthalten her kannten. 10 Jahre früher hatte Frau Macke im selben Hôtel de France gewohnt, in dem August Macke 1914 Aufenthalt nahm. Die Trennung erschien also weniger schmerzlich.

Macke fuhr von Hilterfingen aus mit dem Schiff nach Thun. Von da mit der Bahn über Bern und schließlich durch die Provence. Moilliet war schon früher gefahren. So trafen sich die drei in Marseille: über einen Zaun weg wurden Klee und Moilliet des Freundes ansichtig.

Die Aquarelle, die als Folge in Tunis entstanden, hatten für Macke die Bedeutung von »Reiseeindrücken«, skizzenhaften Erinnerungsniederschriften, in denen freilich die künstlerischen Probleme spontan abgehandelt wurden. Nach ihnen wollte er dann Gemälde schaffen. Sie waren, mit Frau Mackes Worten, »mehr als Studien« gemeint. Es entstanden in der Folge die drei Fassungen des ›Arabischen Cafés‹ und die ›Marktszene‹. Was aber die Tunisaquarelle anbelangt, so war alles noch zu nah, um sie als geschlossene Gruppe in ihrer ganzen Bedeutung zu erkennen!

Aus Erzählungen Mackes wußte sie, daß der Diener Achmed und sein Vater das Haus des Dr. Jaeggi in St. Germain versorgten. Es war ein Landhaus für den Sommer. In Tunis-Stadt war seine Praxis Bab-El-Allouch 2. Achmed malte auch und schenkte Macke Bilder in volkstümlich-arabischem Gepräge, darauf waren Ornamente von der Feinheit des Filigrans. Ein oder zwei solcher Blätter haben sich im Nachlaß Mackes noch erhalten. Macke unterhielt sich gern mit Achmed. Dr. Jaeggi war ziemlich gleichaltrig mit Macke. Er besaß ein altes Auto, mit dem man aus dem Vorort St. Germain in die Stadt fuhr. Es spielte durch die Fahrten der drei Maler bis ins Innere des Landes auch sonst eine rühmenswerte Rolle.

Bild aus Tunis: ein Photo zeigt Macke, am Arm eine Konservenbüchse mit Wasser, zum Aquarellieren notwendig. Alle drei hocken da und malen. Sein Aquarellpapier hatte Macke in der Schweiz besorgt. Der Kasten für die Aquarelle, darin sie wohlgeborgen trocknen konnten, war eine praktische französische Erfindung. Als Macke nach Hilterfingen zurückkam, waren die Aquarelle alle in dem Klappkasten, die Skizzenbücher mit den kostbaren Zeichnungen im Reisekoffer. Seine Mitteilung: es war in Tunis heiß und hell gewesen.

Macke brachte einen Anflug von Bazillenfurcht mit. Auf dem Schiff, das ihn in Thun abholte, war sein erstes Wort bei der Begrüßung: »Faß mich nicht an, ehe ich mich gewaschen«.

Aus dem Reisegepäck holte er gelbe Pantoffeln, ein Kissen, Stickerei. An der Bernsteinkette, einem mohammedanischen Rosenkranz, den er mitgebracht, hing ein Siegelstein aus Achat mit rätselhaften Zeichen. Die Kette rasselt beim Auspacken aus dem Kasten. Wenn seine Frau ihn manches über Tunis fragte, antwortete er: »Du kennst ja alles«.

»Er hatte nicht so viel geschrieben, sondern so viel gemalt«, waren Frau Mackes abschließende Worte.

Geschichte

Der Beginn unseres Jahrhunderts erlebt im Werk des Malers August Macke eine Strahlkraft, aus der unbeirrbare Zuversicht für eine neue Zeit spricht. In seiner Kunst spannt sich der Bogen vom zarten Graulicht des Impressionismus bis zur Klarheit der Komplementärfarben, zum Spektrum des Regenbogens, vom Feinstmateriellen zur Lauterkeit kristalliner Formen.

Von den Anfängen bis zu den Endjahren seines Lebens wohnt dem Werk Mackes das Wesen einer eigenständigen geistigen Welt inne, in der Stille der Farbigkeit ein Unsägliches an Glück, in der Abgewandtheit der Figuren ohne geprägte Gesichtszüge eine unbegreifliche Melancholie, in dem Zueinander der ganz in sich beschlossenen Personen eine Grazie voller Ahnung, eine Feinheit in dem Rhythmus von Formen und Farben. Hier wird jenes im Deutschen so seltene Wunder des reinen Charmes bildhaft zum Ereignis.

Das Werk wird mit unerhörter Kraft und Vielfalt in die Zeit verwoben: Macke hat mit bedeutendsten Geistern Verbindung, selbst Freundschaft, so mit Marc, Klee, Delaunay. Er hat eine entscheidende Beziehung zu Kandinsky. Die Freundschaft zu Moilliet bringt für ihn wichtige Entscheidungen. Sein einziger Schüler Seehaus wird einer der besten Radierer des Expressionismus.

Das gemalte Oeuvre zählt in dem sorgfältigen Katalog Vriesens 504 Werke; seine Zeichnungen, Studien und Skizzen gehen in viele Hunderte. In den beiden Wochen des Aufenthaltes in Tunis entstanden allein 37 Aquarelle, zu denen sich neuerdings einige weitere gefunden haben, und Dutzende von Zeichnungen. Es ist jene Reihe von Aquarellen, die heute eine europäische Berühmtheit erlangt hat. Als Vollendung seines Werkes wie als zeitweilige Vollendung der deutschen Kunst wirken sie gleichermaßen überwältigend. Ist es zu gewagt, hier den Bogen von den Aquarellen Dürers als der frühen Vollendung am Anfang der neuzeitlichen Malerei bis zu der Vollendung der Malerei der sichtbaren Welt im ersten Jahrzehnt unseres Jahrhunderts gespannt zu sehen? Von einem Realismus nicht dagewesener Kraft bis zur Läuterung in höchster geistiger Sublimierung? Die Aquarelle aus Tunis gehören zum Feinsten, was die europäische Kunst in Anwendung der Wasserfarbe reifen ließ. Sie ähneln der Vergeistigung des Optischen in der Glasmalerei, indem dort wie hier die Durchsichtigkeit eine einzigartige Wirkung des Lichtes gestattet. Ähnliche Gedanken waren Macke keineswegs fern.

Vom 7. April 1914 ab waren Macke, Klee und Moilliet zusammen in Tunis und Kairuan. In dieser Zeit entstanden die hier in Auswahl dargebotenen Aquarelle, Landschaften – manche mit Figuren – und zahlreiche Zeichnungen. Über den geschichtlichen Augenblick der Tunis-Aquarelle hinaus gibt es keine künstlerische Steigerung. Es gibt nur ein Anderssein.

Es liegt die Frage nahe, wie sich die drei Maler, die sich zu einem ausgesprochenen Miteinander trafen, verhielten. Sie spitzt sich dahin zu: welche Rolle war Macke oder dem acht Jahre älteren Klee oder dem sieben Jahre älteren Moilliet beschieden? Die veröffentlichten Aquarelle Klees zeigen bei aller Eindeutigkeit des Persönlichen, verglichen mit denen Mackes, einen tastenden Stand. Sie lassen im Geistigen wie im Technischen alle Möglichkeiten offen. Nichts ist verfestigt, nichts festgelegt. Man spürt, er hatte noch Jahrzehnte des Schaffens vor sich. Klee fuhr schon am 19. April zurück. Macke reiste am 22. Klee hatte Kairuan gesucht und gefunden und darüber die Farbe: »Ich und die Farbe sind eins. Ich bin Maler«. So äußert er sich in den Tagebüchern.

Macke hatte sich nicht erst zu finden. Mit unvergleichlicher Souveränität spielte er mit den künstlerischen Mitteln. Seine geistreiche Virtuosität fand in den Blättern die Synthese vieler Strömungen der Zeit. Da war Impression in reiner Farbe, wo mit ihr das Gewollte am besten erreicht wurde, oder kubistischer Aufbau in statischer Ruhe, um dem Architektonischen des Orients beizukommen. Da war der Geistreichtum erfundener Zeichen bis in die Handschrift mit dem Pinsel entwickelt, die Tiefe vieler landschaftlicher Schichten in die Fläche bis zum Wohlklang reinen Ornaments gebannt. Das Spiel seiner künstlerischen Erfindung wurde noch in besonderer Weise durch die Aufnahme der arabischen Welt in Tracht und Gehaben flüssig. Es wurde mit allen Sinnen europäischer, genauer gesagt rheinisch-pariser Schulung aufgenommen. Die Faszination, der Macke mit weitgeöffneten Poren seines Wesens anheimgefallen war, fand ihre geprägte Form. Es war »die Empfindlichkeit, die Lebendigkeit, die das Ganze beherrscht«.

Oft haben Ahnungen im Leben Mackes eine Rolle gespielt, so auch hier. Macke muß gespürt haben, daß sich in Tunis für ihn Außerordentliches ereignete. »Ich glaube, ich bringe kolossal viel Material heim, was ich dann in Bonn erst verarbeiten kann.« Er hat einmal am Tag 50 Skizzen gemacht, am Vortag 25.

Das Nachlaßverzeichnis der Aquarelle Mackes aus Tunis, 1920 aufgestellt, führt 37 Blatt in einer Nummernfolge auf. Hinzu kommt als 38. Blatt die 1958 erst bekannt gewordene II. Fassung ›Helles Haus‹. Es ist nicht anzunehmen, daß die Nummernfolge dem Nacheinander der Entstehung entsprach. Von den 38 Aquarellen wurden 3 im Krieg vernichtet, 2 sind verschollen, so daß 33 Blätter nachweislich erhalten blieben: 23 in Privatbesitz, je 3 in der Nationalgalerie Berlin (Ost), im Landesmuseum für Kunst und Kulturgeschichte Münster und in der ›Stiftung Sofie und Emanuel Fohn‹ Bayerische Staatsgemäldesammlungen München sowie 1 Blatt im Kunstmuseum Bern.

1911 lernte Klee Delaunay kennen. Seit 1912 war auch Macke mit Delaunay in freundschaftlichem Austausch künstlerischer Gedanken. Offenbar hat Delaunays »Orphischer Kubismus« auf beide gewirkt. In der Situation des Aufenthaltes in Tunis geht die intensive Einwirkung Delaunays auf die drei Maler über Macke. Das System der »Kleinen Vierecke«, von dem Moilliet in bezug auf Klee aus seiner Erinnerung spricht, haben Klee, Macke und Moilliet von Delaunays Versuchen der reinen Farbe übernommen. Delaunay war von Cézanne ausgegangen. Er hatte sich dem Kubismus genähert. Aber für ihn war die fundamentale Natur der Malerei eine Angelegenheit des Augensinnlichen. Er blieb auf einem »plan purement plastique«, wie seine Frau, die Malerin Sonia Delaunay, sagt, und seine »Déformations« erfolgten nicht auf Grund philosophischer Spekulation, sondern durch die Beobachtung des Lichtes, das die Gegenstände bricht. Die Brechung der Gegenstandsformen durch das Licht und die Entstehung farbiger »Pläne« – des plans colorés – führte zu einer neuen Struktur des Bildes. Die »befreite« Farbe erhielt Eigenleben und wurde Subjekt. Es ging weiterhin um die Übersetzung der Malerei durch die Beziehungen zwischen den Farben, durch Kontraste und Dissonanzen. Als Element der »freien« Farbe, besser gesagt, der reinen Farbe, das Ordnung und Leben gab, wirkte der Rhythmus. Der Rhythmus erhielt Ausdruck durch ein strenges Maßsystem der Beziehungen. Darin sah Delaunay die »Poésie intérieure«, die Dichtung der Schöpfung, das mystische Element auf dem Grund einer »expression plastique nouvelle«. Das Licht führte zum Prisma der Farben mit den Mitteln simultaner Kontraste.

Delaunay war sich in seinem Vorgehen so klar, und zwischen ihm und Macke bestand eine so weitgehende Verständigung über das, was er als schöpferisches Grundgesetz entdeckt und mit Macke besprochen hatte, daß er auf einigen Postkarten an Macke nur die Stichworte der Farben angab, deren Beziehungen er ihm in Eile übermitteln wollte. Die Gedankengänge Sonja Delaunays über die Arbeitsweise ihres Mannes, denen wir gefolgt sind, entsprechen genau der schöpferischen Situation, in der Macke das Ehepaar Delaunay in Paris 1912 erlebte. Ähnlich wie bei Delaunay ist Mackes Aversion gegen die philosophische Spekulation. Sie erklärt seine bekannte Reserve gegenüber Kandinsky.

Die Reise ging von Tunis-St. Germain nach Sidi-bu-Said, Karthago und Hammamet, einem kleinen Hafen am Meer, ins Innere des Landes nach Kairuan und zurück nach Tunis. Den Stationen entsprechen Aquarelle Mackes aus Tunis-Stadt, St. Germain, Hammamet und Kairuan. Die größere Anzahl der Blätter ist in Tunis bzw. St. Germain selbst entstanden. Dafür sprechen die Motive von Straßenecken, Torbögen, Basaren, Markt usw. Auch das ›Hafenbild‹ ist wohl in Tunis entstanden.

Die Aquarelle Mackes sondern sich in stark leuchtende farbige Blätter aus Tunis und wohl spätere anders geartete. Die ersteren stehen unter dem Anprall des Orients nach Atmosphäre, Bauweise und Volkstypen. So gehören die Blätter von St. Germain, der europäischen Kolonie, in die erste Gruppe. Das ›Helle Haus‹ mit europäischem Giebel und das europäische ›Gartentor‹ sind dort zu suchen. Das ›Helle Haus‹ ist ein schöpferischer Kristallisationspunkt in der ganzen Reihe der Aquarelle, ein Augenblick reiner Vollendung. Das neuerdings aufgetauchte Blatt mit demselben Motiv ist offenbar die Vorstufe zu der Fassung im Nachlaß in Bonn. Das würde jenem Gestaltungsgesetz bei Macke entsprechen, nach dem sich bei ihm der Gang vom Vielfachen zum Einfachen aufweisen läßt. Das Blatt in Lausanne zeigt eine kleine Saat roter Farbtropfen für blühende Rosen. Sie kehrt ähnlich auf dem ›Haus im Garten‹ wieder und der ›Landschaft mit sitzendem Araber‹. Diese Blätter sind in ihrer expressiven Kraft malerischer aufgelöst als etwa die abstrakteren unter den Aquarellen. Die Art läßt sich auf eine Anwendung bereits im Jahre 1912 zurückführen. Das Aquarell das ›Helle Haus‹ strahlt auf Mackes ›Landschaft bei Hammamet‹ über. Verhaltener ist die Farbigkeit einer zweiten Gruppe seiner Aquarelle aus dem Inneren des Landes von Kairuan. Sie sind in einer eigenen Weise gebrochen-malerisch. Einige besonders warmtonige Landschaften erinnern an Tufformationen.

Nach den Wochen in Tunis kehrte Macke über Palermo und Rom nach Hilterfingen an den Thuner See zurück. Er holte in der Schweizer Bergwelt den Frühling ein, und hier, im Anblick des Massivs des ›Niesen‹, eröffnete sich ihm der Zauber seines Gartens. Dessen blühende Pracht setzte sich in Mackes gestaltender Phantasie in reine Farben und heiter-strenge Rhythmen einiger Aquarelle von blühendem Wohllaut um.

Am längsten und nachhaltigsten wirkte sich die Reise nach Tunis und Kairuan im Lebenswerk Moilliets aus. Es hat ihn immer wieder dorthin gezogen. Dem Erlebten hat er eine menschliche und künstlerische Treue bewahrt, die ihn die damaligen Probleme bis in die folgenden Jahrzehnte auf Reisen in Tunis, Marokko und Spanien, aber auch in Paris immer aufs neue aufgreifen ließ. In seinem Schaffen lebte die Zeit in Tunis 1914 bis zu seinem Tode im Jahr 1962 fort.

Paul Klee

Tagebuch über die Tunisreise

April 1914

Die Vorgeschichte ist die, daß der Louis Moilliet, jener schweizerische Graf,

schon einmal dort war (natürlich).

Und zwar indem, daß dort ein Berner Arzt sich niederließ, namens Jäggi,

welcher ihn aufnahm.

Nun ist jener Graf nicht nur unverschämt anmaßend seinem Glück gegenüber,

sondern auch ein guter Kerl zu denen, die er mag.

Und er mag zwei Leute, das ist August Macke und das ist: mich.

(Außerdem mag er viele junge Damen.)

Jener Macke lebt seit kurzem am Thunersee,

und letzten Dezember haben wir zu drei geschworen, daß es sein soll.

Louis gönnt es mir, will für Geld sorgen gegen Bilder von mir.

Macke sorgt für sich selber, der verkauft ganz gut.

Sonntag, den 5. 4. Marseille:

Ein Spaziergang in der Abenddämmerung den Hafen entlang.

Unser Schiff gesucht. Dann großer Hunger.

Am Kai des alten Hafens Umschau nach Macke. Endlich ihn gefunden.

Dort das Kindergesicht, ißt und trinkt wie ein junger Fürst. Sieht uns nicht.

Es ist ein Trottoir-Restaurant, durch Barriere von der Straße abgegrenzt.

Wir kauern hinter der Barriere, damit er nur unsere beiden Köpfe sehen soll.

Da, er sieht — sah uns, errötete leicht, guckte schnell weg,

als ob er nichts gesehen habe. Dann lustige Begrüßung.

Er ganz erfüllt von diesem Marseille und seiner Umgebung.

Hat sogar ein Stiergefecht gesehen. Wurde ihm fast schlecht.

Wir gehen noch in ein Varieté.

Ein junger Artist mimt eine Tirolienne, die einzige stilvolle Nummer.

Innenhof des Landhauses in St. Germain | Courtyard in St. Germain

Montag, den 6. 4.

Vormittags in Marseille herumgegangen, bis weit vor die Tore hinaus.

Man hatte das Gefühl, daß man es hier schon ganz gut

lange Zeit aushalten konnte. Die Gegend ist großen Stils und koloristisch neu.

Gartentor | Gate

Aber Graf Louis lächelte über dies Verweilen, wissend, was da noch kommen wird!

Mittags, zwölf Uhr, schiffen wir uns ein.

Ein schönes großes Gebäude der Compagnie transatlantique, »Carthage« mit Namen,

nimmt uns auf. Hübsche saubere Kabinen. Kleine Brechtöpfe, sauber und verheißungsvoll.

Die Fahrt durch den Hafen sehr spazierlich und amüsierlich.

Draußen auf der Mole noch eine Gruppe Abschiedwinkender.

Und nun wird's ernst, und das Schiff beginnt zu rollen.

Der Golf du Lyon ist bekannt dafür. Il fait beau temps, pourtant.

Wer's glaubt. Gabriele Münters Mittel wird geschluckt, die beiden andern nehmen lila

und grüne Kugeln zu sich und lächeln über mich und Münter.

Ich glaube an beide Mittel nicht, weder an das eine noch an das andere.

Deshalb wird mein Befinden eher schlechter, wenn auch ganz allmählich.

August Macke zeichnet für mich eine kleine Komposition,

wie es aussehen wird, wenn ich speien muß (er glaubt nicht an Münter).

Daraufhin laß ich mir auch von seinen lila und grünen Kugeln geben.

Und siehe, mein Mut kehrt zurück.

Und ein wenig später zünde ich mir eine Pfeife an.

August Macke schließt daraufhin Freundschaft mit mir.

Er hielt mich bis dahin für ein Ungeheuer an Vollkommenheit,

und nun rauche ich eine gemütliche Pfeife.

Das findet er ganz hinreißend schön.

Das ändert unsere gute Stimmung in hohen Mut, ändert aber nichts daran,

daß das Deck manchmal einem schiefen Dach gleicht,

auf dem alles abrutscht, Männlein, Weiblein, Liegestuhl, und unten

am Geländer ein peinlich Durcheinander entsteht.

Die stetige Wiederholung solchen Hin und Hers wirkt:

Die Passagiere werden weniger. Wir drei aber sind heiter,

sorglos und losgelöst von allem. Einfach glücklich.

Appetite und Schläfe überkommen uns mit Gewalt.

Wir belagern eine halbe Stunde vorher schon den Speisesaal.

Das Essen ist vielleicht gar nicht so besonders, aber uns schmeckt es königlich.

Und wie wir schlafen!

Felsige Landschaft | Rocky Landscape

Dienstag, den 7.4.

Angesichts der Küste von Sardinien aufgewacht.

Die Farben von Wasser und Luft sind heute noch viel intensiver als gestern.

Die Farben brennen stärker und sind eher dunkler. Vorn auf dem Schiff

(ich besuchte öfter die 3. Klasse) kann man die farbigsten Szenen beobachten.

Der französische Kolonialsoldat paßt so wundervoll hinein. Nachmittags

erscheint die afrikanische Küste. Später deutlich erkennbar die erste

arabische Stadt. Sidibou-Said, ein Bergrücken, worauf streng rhythmisch

weiße Hausformen wachsen. Die Leibhaftigkeit des Märchens,

nur noch nicht greifbar, sondern fern, ziemlich fern und doch sehr klar.

Unser stolzer Dampfer verläßt die offene See.

Der Hafen und die Stadt Tunis liegen rückwärts etwas versteckt.

Man passiert erst einen langen Kanal. Am Ufer ganz nah die ersten Araber.

Die Sonne von einer finsteren Kraft.

Die farbige Klarheit am Lande verheißungsvoll. Macke spürt das auch.

Wir wissen beide, daß wir hier gut arbeiten werden.

Markt in Tunis I | Market Place in Tunis I

Die Landung in dem einfach-ernsten Hafen sehr eindrucksvoll.

Die ersten Orientalen aus der Nähe waren auf der Böschung des Einfahrtskanal zu sehen.

Jetzt aber steigen, bevor das Schiff stillsteht,

unglaubliche Gesellen auf Strickleitern zu uns empor.

Unten unser Wirt Doktor Jäggi, seine Frau und sein Töchterchen. Und sein Auto.

Mittwoch, den 8. 4. Tunis

In den Souks etwas eingekauft. Macke lobt den Reiz des Geldausgebens.

Dann eine Autofahrt in die Umgebung der Stadt gemacht.

Jäggi als Chauffeur ohne Patent. Es begegnet uns ein Leichenzug.

Die Klageweiber hörte man schon von weitem. Louis bekommt Beine, rennt voraus.

Landschaft bei Hammamet | *Landscape near Hammamet*

Macke: »Seit dem Tod des alten Gobat hat er einen Tick für Begräbnis.«

Etwas boshaft, lieber August! »Le divin Gobat«, soll in einem Nekrolog gestanden haben.

»Aber, lieber August, dies Begräbnis scheint mir doch nicht so ohne zu sein.«

Und wir folgen nach, August etwas faul und dick, aber doch! Der Sarg ist farbig, golden und blau. Eine Kutsche, von sechs Maultieren gezogen. Das sei der Bei gewesen, behauptet Louis. Kein Regen, der Abend wieder schön.

Auf der Heimfahrt berichtet Jäggi über eine Grundstücksspekulation, an der er beteiligt ist. Ein Hotel müßte in diesem Park entstehen.

Ob wir nicht ein verführerisches Plakat malen wollten? August: Das machen wir!

Doktor Jäggi meinte, wir könnten verdienen und die Reisekasse auffüllen.

Schön gedacht, schnell gesagt. Aber getan? Getan natürlich nie!

Die Mahlzeiten bei Jäggi sind üppig. Ein Schwarzer kocht, eine säuerliche Aargauerin macht die Zimmer. Wir haben Sodbrennen, weil wir den Magen überfüllen. Macke schluckt Natron, in Oblaten gehülltes.

»Aber eines kann die Aargauerin wunderbar«, sagt Louis, in Schutz nehmend, »ein Bad bereiten! Darin ist sie vorbildlich.«

Tunislandschaft mit sitzendem Araber | Landscape with Arab

Donnerstag, den 9.4.

Wetter wieder ganz klar. Aber windig. Im Hafen gemalt. Der Kohlenstaub in den Augen
und in den Aquarellfarben. Trotzdem! Bei einem französischen Torpedoboot
werden wir als Deutsche erkannt und in gebrochenem Deutsch angeulkt.
Augusts Äußeres ist etwas kompromittierend. Er riet, sich möglichst unauffällig
zu verziehen. Ist manchmal überängstlich. Mag auch nicht Louis' Scherze, wie:
»Où peut on acheter une négresse?« usw. Abends im Concert arabe. Etwas monoton,
etwas Fremdenbetrieb. Aber doch neu für uns. Ganz gute Bauchtänze. Sieht man
zu Haus nicht. Musikalisch nicht ohne den Reiz des Neuen. Sehr melancholisches Melos!

Samstag, den 11.4.

St. Germain bei Tunis. Einige Aquarelle am Strand und vom Balkon aus. Abends
Ostereier bemalt für die Kinder. August schafft entzückende Gebilde. Dann eine
Kalkwand des Eßzimmers bemalt. August gleich ins Format, eine ganze Szene, Esel und
Treiber usw. Ich begnügte mich mit zwei kleinen Gebilden in den Ecken, die ich abschloß.

St. Germain bei Tunis | *St. Germain near Tunis*

Ostersonntag, den 12.4.

St. Germain. August früh im Bett mit leichter Melancholie behaftet.

Sieht selbst so kindlich aus und hat Sehnsucht nach seinen Buben

Die müßten jetzt hier sein und gebadet werden.

Die Kleine sucht die Eier. Leider konnten wir sie nicht fixieren und blieb ein Teil

des Zaubers an den kleinen Fingern haften; die Morgenluft war feucht.

Die Kleine steht am Ufer mit dem großen schweren Mantel. Die Ferne über dem Wasser

ist blühend schön, aber nicht ausschweifend. Alles hat große Haltung.

Dienstag, den 14.4.

Tunis-Hammamet. Sechs Uhr früh am Bahnhof mit Macke zusammen bestellt.

Am Schalter eine kleine Schlange von Anstehenden. Ein Alter schreit: »barra! bara!«

und macht sich Platz. Es ist so natürlich. Wir hören es bei uns von den Kindern.

Ich bin gut gelaunt, ja übermütig.

Den einen in der Schlange halte ich für August und schleiche mich an,

als ob ich ihn bestehlen wollte. Bevor ich den Taschendiebstahl ausführe,

entdecke ich meinen Irrtum. Die Fahrt ist schön. Ernste Wälder,

sogar eine gewisse Düsterheit. »Die Eifel ist auch schön«, sagt August.

Die Anlage dieser Eisenbahn ist sehr primitiv. Man kommt auch nur langsam vorwärts.

Aber was macht das? Man hat ja keine Geschäfte.

In Hammamet angelangt, ist noch ein kleiner Weg in die Stadt. Was für ein Tag!

In allen Hecken singen die Vögel. Wir blicken in einen Garten,

wo ein Dromedar an der Zisterne arbeitet. Das ist ganz biblisch.

Die Einrichtung ist sicher die gleiche geblieben. Stundenlang könnte man zusehen,

wie das Kamel, von einem Mädchen gelenkt, mürrisch auf und ab geht

und dadurch das Herablassen des Schlauches, das Schöpfen, das Aufziehen desselben

und seine Entleerung bewirkt. Allein wäre ich hier sehr lange verweilt.

Aber es ist, es gibt noch so viel zu sehen, meint Louis.

Die Stadt ist fabelhaft, am Meer gelegen, winklig und rechtwinklig

und wieder winklig. Dann und wann von der Ringmauer ein Blick!

In den Straßen sieht man mehr Weiblichkeit als in Tunis.

Kleine Mädchen ganz unverschleiert, wie bei uns.

Händler mit Krügen | Vendor with Pitchers

Auch darf man die Friedhöfe betreten. Einer liegt köstlich am Meer. Auf ihm weiden ein
paar Tiere. Das ist gut. Ich versuche zu malen. Das Ried- und Buschwerk ist ein schöner
Fleckrhythmus. In der Umgebung köstliche Gärten. Riesige Kakteen bilden Mauern.
Ein Weg ganz »hohle Gasse« in Kakteen. Viel gemalt und geschlendert. Abends im Café
der blinde Sänger und sein Tamburin schlagender Knabe, ein Rhythmus für immer!
Übernachtet bei einer bösen französischen Alten. Louis und Macke liefern sich
im Hemd eine Kissenschlacht. Sie gab uns eine verstopfende Rindsleber
und einen Heublumentee! Die Küche bei Jäggi war besser gewesen!
Hohe Oboentöne und Tamburinschläge lockten zum Schlangenbeschwörer und zum
Skorpionfresser: Ein entzückendes Theater auf der Straße. Der Esel sieht auch zu.

Mittwoch, den 15. 4.
Wir sollten nun nach Kairuan und vermeiden, mit der Bahn zu sehr umzufahren.
Zu diesem Zweck machten wir uns auf, ein Stück zu Fuß zu gehen nach der
Eisenbahnstation Bir-bou-rekba. Auf diese Weise kamen wir nun selbst in die Lage,
mit unserem europäischen Äußeren das Landstraßenbild zu beleben;
natürlich nur in dümmster Nichtanpassung.

Terrasse des Landhauses in St. Germain | *Terrace of a House in St. Germain*

Denn was wir schon vom Zug gestern gesehen hatten, war so einzigartig zeitlos gewesen, daß es einen erbarmen wollte, mit seiner Mode Anfang zwanzigstes Jahrhundert hier hereinzuzeiteln.

Wundervolle Reise durch eine immer mehr verödende Natur.

In Kalaa-srira nochmals umgestiegen und bei einem merkwürdig aufgeregten »Wirt zur Station« eingekehrt. Ein Neger kocht und serviert, sauber ist er nicht, aber er kann was. Was wir da lachten bei Wirt Don Quichote. Diese Hühner! Überhaupt Hühner! Unter ein Mikroskop gebracht, glaubt man sie in feurige Pferde verwandelt, und man bekommt Angst, getreten und überrannt zu werden.

Don Quichotes Federtiere waren aber auch ohne Mikroskop wirklich sehr beängstigend. Ja, wenn es noch seine gewesen wären; aber eigentlich waren es, wie wir nun herausbekamen, Nachbarshühner. Und die sollten in seiner Wirtschaftshalle nichts zu tun haben! Er gönnte es ihnen einfach nicht und ihrem Nachbar ebensowenig. Sie sollten nicht zu seinen Gunsten fressen und zum Schaden der Table d'hôte Sachen fallenlassen. Wir lachten zunächst harmlos über die Komödie, aber bald war das nicht mehr so unkompliziert mit unserem Lachen, weil der Alte sich von Mal zu Mal kränker ärgerte. Er jagte »Gsch!, gsch!, gsch!«, aber jedesmal, wenn er dienstlich ins »Haus« mußte, war der Erfolg wieder dahin. In der Nähe sind Gäste, welche nichts genießen außer diesem außerordentlich gut gespielten Theater. Sie lachten gratis. Das gibt eine unheimlich anschwellende Majorität des Gesunden gegen den ärmsten Don Quichote.

Louis und August werden kühn und rollen Brotkugeln insgeheim.

Die Hühner werden doppelt, und viele Kleinchen kommen gerannt und brechen fast Beine hierüber. Don Quichotes Kurzsichtigkeit gibt Mut.

Nun gelangt von August her eine Riesenbrotkanonenkugel behaglich rollend unter die Hühnerschar. Don Quichote schöpft wahrscheinlich hier Verdacht.

Louis erwischt insgeheim ein paar Kleinchen und läßt sie auf den Tisch flattern.

Don Quichote sieht das nicht so ganz richtig und nimmt es den Kleinchen übel.

»Gsch!, gsch!« Ein Araber, der sich bis jetzt beherrschte, einer von den Gratis-Gästen, schüttelt sich jetzt vor Lachen.

Alles brüllt und schlägt mit Arm und Bein aus. Das steigert sich orkanartig, wenn der Alte hinein muß, wie jetzt wieder, um nach dem bestellten Kaffee zu sehen.

Schlucht | Ravine

August wirft ihnen bei dieser Gelegenheit ein Stückchen Käse hin, wird aber nun von dem Wiederauftretenden richtig erwischt. »Ah! Il ne faut pas leur donner du pain . . .!« August: »Pardon, Monsieur, c'est du fromage!« »Mais par mégarde!, par mégarde!« Der alte Pantoffelschlurfer setzt sich erschöpft, er kann nicht mehr. Sein Glück ist es, daß der Zug nun hereinfährt. »Trois francs avec le café«, sind seine letzten Worte.

Ein angemessenes Pourboire dem Neger, und dahin geht's. Wir hätten nun erinnernd Stoff gehabt für zweiundzwanzig Stationen des Emmentals. So ergriff uns aber bald wieder die neue Herrlichkeit dieses Landes. Aus dem Käsestückchen wurde noch ein Käsekubus, und dann war es still. Akouda, eine fabelhafte Stadt, grüßt kurz verheißungsvoll, fürs ganze Leben vielleicht, vorbeihuschend. Um zwei Uhr Kairuan. Kleine französische Vorstadt mit zwei Hotels. Teedurst wird ausgiebig gestillt, um die Entdeckung des Wunders Kairuan würdig durchzuführen.

Zunächst ein großer Taumel, der nachts bei Mariage Arabe kulminiert. Nichts einzelnes, nur das Ganze. Und was für ein Ganzes! Tausendundeine Nacht als Extrakt mit neunundneunzig Prozent Wirklichkeitsgehalt. Welch ein Aroma, wie durchdringend, wie berauschend, wie klärend zugleich. Speise, reellste Speise und reizendes Getränk. Aufbau und Rausch. Wohlriechendes Holz verbrennt. Heimat?

Kairuan III | Kairouan III

Donnerstag, den 16.4.

Früh vor der Stadt gemalt, leicht gestreutes Licht, mild und klar zugleich.

Kein Nebel. Dann drin gezeichnet. Ein blöder Führer sorgt für Komik.

August bringt ihm deutsche Worte bei, aber was für welche.

Er führt uns in die Moscheen am Nachmittag.

Die Sonne dringt durch, und wie! Man reitet ein Stückchen auf dem Esel.

Gegen Abend durch die Straßen. Ein Café mit Bilderschmuck.

Schöne Aquarelle. Wir plündern kaufend. Eine Straßenszene um eine Maus.

Schließlich wird sie mit einem Schuh erschlagen.

Zuletzt in einem Straßencafé gelandet.

Ein Abend von ebenso zarter als bestimmter Farbigkeit. Mühlespieler-Virtuosen.

Glückliche Stunde.

In der Tempelhalle | Portico

Tunis

In Tunis angekommen, hören wir: die Doktorchen sind eingeladen

und lassen bitten, auch zu kommen. Die Offiziersdame freut sich auf unseren

Besuch und schlägt uns Eier in die Pfanne. »Stierenaugen«.

Ich lehne ab, ich will heute festlich speisen, und zwar allein.

Louis wahrt das Dekorum und geht hin.

Ich lasse mir von der Krankenpflegerin ein schönes Bad bereiten,

was sie vortrefflich kann, mit eingelegten Leintüchern.

Und dann ins beste italienische Restaurant »Chianti«.

Wunderbar essend und jenen Chianti trinkend, welcher prickelt wie Barbera.

Nun kommt auch noch August, lächelt gutartig über meine versteckte

Schlemmerei und singt ein kurzes Loblied auf das schöne Geldausgeben.

Im Basar | *Bazaar*

Freitag, den 17.4.

Vormittags wieder vor der Stadt gemalt, dicht an der Mauer,

auf einem Hügel aus Sand. Zurück durch die Staubgärten vor der Stadt,

stehend ein letztes Aquarell gemalt. Beim Hotel Volksszenen auf einem Dach.

Unten ein Weib in Aufregung. Ansammlung. Sie verteidigt sich weinend,

am Rücken ihr Kind. Louis hat Mitleid mit ihr. Ich packe meine paar Sachen,

um elf Uhr mittags geht mein Zug.

Die zwei folgen später, nachmittags oder am anderen Tag.

Die zwei reisen doch mit mir, sie haben scheint's auch Erlebtes in sich.

Gute Jungen. Sehr begabt. Macke leicht und glänzend. Moilliet verträumt.

Im Zug raufen sie wieder, zum Staunen der Eingeborenen.

Ein Ölhändler, wirklich durchtränkt davon, uns vis-à-vis.

Penetrant riechend. Louis rückt naserümpfend ab. Ich bin ganz Auge.

In Kalaa-srira wieder bei Don Quichote zu Tisch.

Er ist heute elegisch und ganz gelassen, ganz mild.

Wahrscheinlich ist gerade ein Anfall vorüber. Die Hühner kommen auch nicht.

Vielleicht eingesperrt, vielleicht alle vergiftet? Tot? Man kann nicht wissen.

Haus im Garten | *House in Garden*

Samstag, den 18.4.

Tunis. Louis kauft für die Frau ein. Ich erinnere mich, daß auch für mich
etwas Derartiges sehr tunlich. Wir schlendern durch die schönen Souks.
Louis hat noch sonst was Schönes gekauft: galante Fotos, die man bei den Italienern
bekommt. Er lächelt glücklich über seinen Besitz. Jäggi ist glücklich über den Regen:
»Jetz si die Coloré hüt am Abe sicher alli bsoffe!« Er muß seinen Garten in St. Germain
sehen. Wir fahren gutmütig in seinem Auto mit. Er braucht auch Wein. Draußen
angekommen, nach wenig anziehender Fahrt, macht er ein »Eheu!«, weil wir seine
Zimmer nur teilweise ausgemalt haben. Im Keller macht er noch ein zweites »Eheu!«,
weil August ihm eine Flasche hinschmeißt. »Sisch doch schad für dä guet Wy!«
Wir lächeln ungläubig, uns war dieser Wein zu scharf. Wir jagen zurück,
weil abends Sudermann-Gesellschaft bei Docteurs ist, halb zu unseren Ehren.
Da gab es wieder eine komische Szene. Die Europäer waren etwas animiert vom
»guete Wy«, und die Unterhaltung wurde so ein wenig pikant. Darauf sagte ich leise
zu Louis, er möchte doch jetzt seine galanten Fotos herumgeben. August dies hören
und einen krampfhaften Lachanfall bekommen, war eins. Dabei steckt er uns auch
noch an, der Unglücksmann, so daß wir zu drei lachten wie die Narren
und uns lange nicht mehr einholen konnten. Besonders, wenn die eine Offiziersdame
immer gar zu gern wissen wollte, warum wir so sehr lachten, ging das Konzert von neuem los.

Eselreiter | Man on Donkey

Sonntag, den 19. 4.

Abreise aus Tunis. Zunächst Vorbereitungen für die Abreise.

Nachmittags fünf Uhr zu Schiff. Ma und Mo bleiben noch ein paar Tage.

Nun stehe ich oben, die anderen unten. Sie fragen, wie die dritte Klasse sei.

Ich sage »gut«, ohne eigentlich überzeugt zu sein.

Ma macht so oft ein köstlich dummes Gesicht. Er ist gar nicht ergriffen beim Abschied.

Reichte mir rasurscharfe Wangen zum Kuß und heuchelte Wehmut.

Eigentlich sollte es nur eine Farce von ihm sein, ich aber machte Ernst

und küßte dies Kindergesicht.

Man muß schreien, wenn man sich nach unten verständlich machen soll.

Ich sage nicht mehr viel deshalb, und wir waren ja täglich und stündlich

beisammen. Oh, es war schön, gute Kameradschaft hielten wir.

Helles Haus | *Bright House*